Their party music sounds sae grand . . .

. . . ye'd just think it was Jimmy Shand!

Paw thinks it's hard tae beat . . .

. . . a proper fireside seat!

Help ma boab! Oh, dismay!

It's a real cat-astrophe!

Paw makes sure they keep it down . . .

. . . after their night on the town!

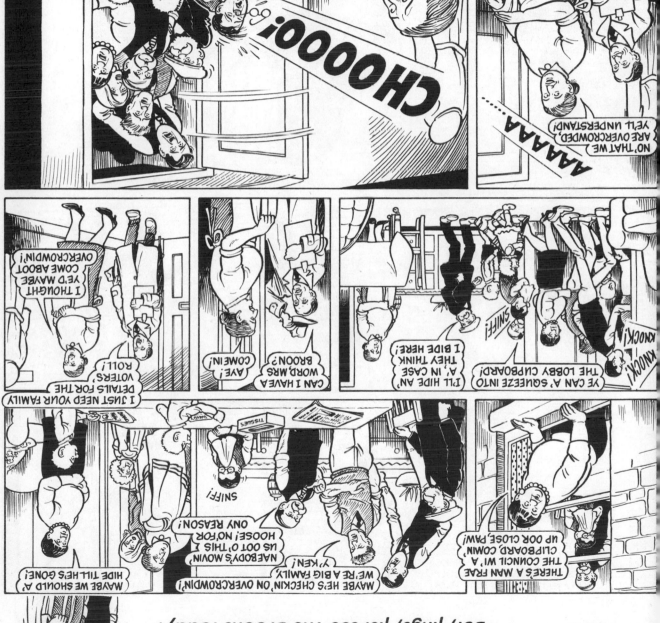

Grampaw's poorly! Oh, whit woe!

Is it his ticker? Yes . . . and no!

Whit a shock for Paw Broon when —

he's locked oot o' Number Ten!

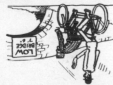
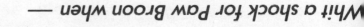

They seek him here, they seek him there —

they can't find Grandpaw anywhere!

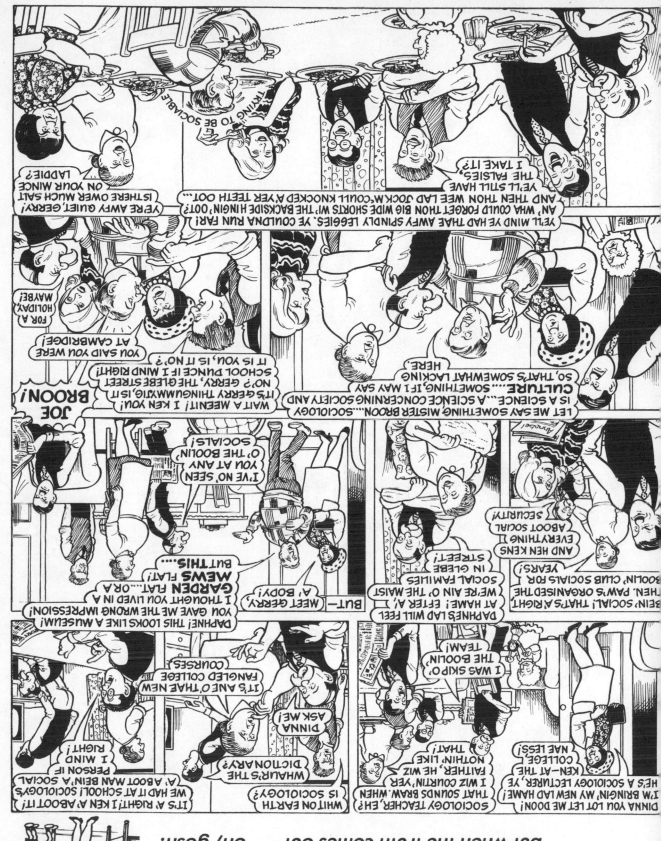

See poor Paw's plight . . .

. . . in the middle o' the night!

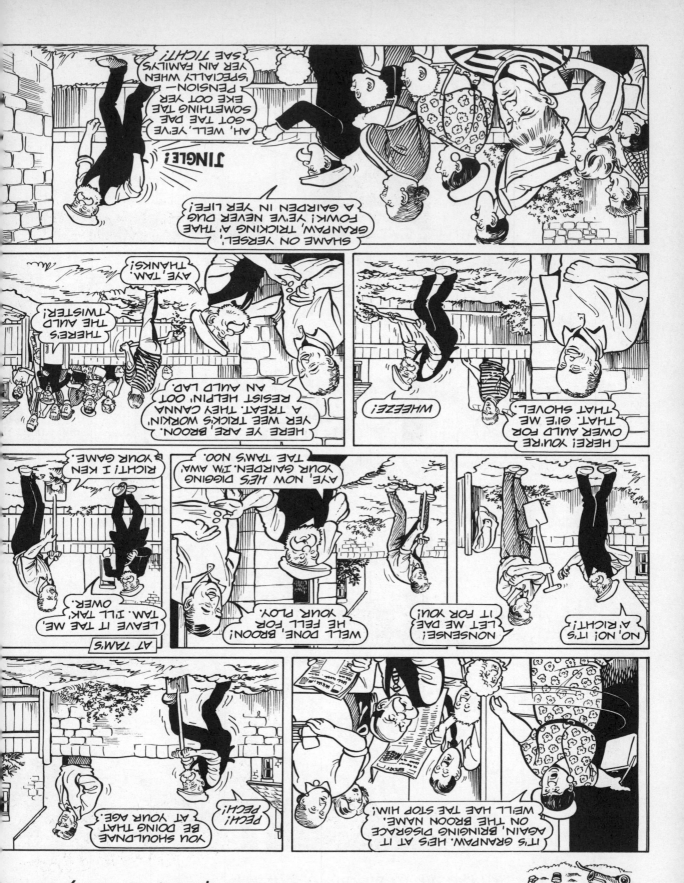

Granpaw diggin'? No, not ever · · · · · · wi' a spade, he's awfy clever.

Paw's boolin' club promotion . . . . . . soon starts a richt commotion!

AYE, THERE'S NAE TROUBLE AT THE MATCHES NOWADAYS SINCE THEY BANNED DRINK!

WE AYE HAD THE ODD DRAM AT THE MATCHES IN OOR YOUNG DAYS AND THERE WAS NEVER ONY TROUBLE!

RICHT ENOUGH, FAITHER!

NO, IT WISNAE A DRAM THAT CAUSED BOTHER! IT'S JUST THIS YOUNGER GENERATION!

HERE HE GOES!

IT'S TRUE! WE NEVER HAD ONY PROBLEMS WITH STRONG DRINK!

IT'S *BOILIN' HOT*, MIND!

AYE, YOU YOUNG ANES HAVE YERSEL'S TAE BLAME.

WHEESHT! WID YE LIKE AN OXO DRINK?

AYE, THAT WID BE BRAW!

AAAAAAGH!

WHAT'S THAT?

WHA SAID THAT?

PHEEP!

WATER! WATER! I'M ON FIRE!

HE'LL BE A'RICHT IN A MINUTE EFTER A FEW DROPS FRAE THE MAGIC SPONGE!

WHIT WERE YE SAYIN' AGAIN, PAW? SEEMS TAE ME LIKE STRONG DRINK'S STOPPED THE MATCH HERE! HA-HA!

KHH.

You'll a' laugh a lot . . .

. . . at the farm Calum's bought!

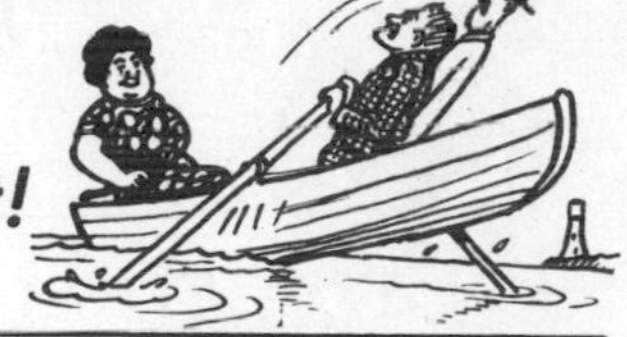

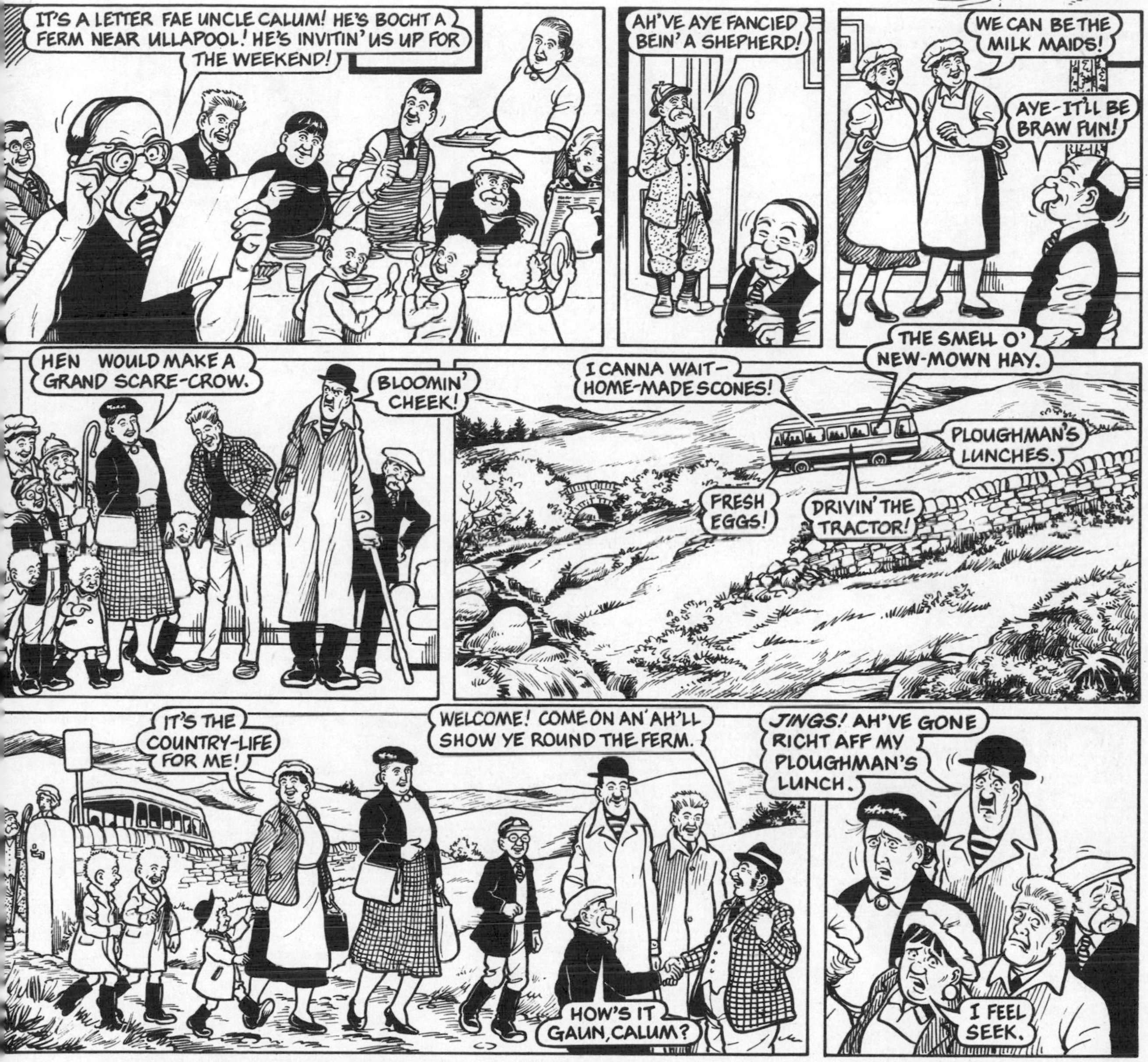

Poor Paw gets some awfy shocks . . .

. . . when he cultivates a window box!

A' it taks is a hint o' trouble . . . . . . tae mak' them vanish at the double!

It's time to hae anither laugh . . .

. . . at their wedding photograph!

NOW, BE GOOD, MA WEE LAMB! WE DINNA WANT YOU GETTIN' IN A MESS AND SPOILIN' THE WEDDING PHOTIE!

ONYBODY SEEN MY CLEAN COLLAR?

WHAUR'S MY ITHER STOCKING?

GIE THE BAIRN'S FACE A WIPE MAGGIE!

WE DINNA HAVE TIME FOR THIS NONSENSE! THE TAXI'S DUE IN TWENTY MINUTES!

YOU WANT YOUR SHOES POLISHED TOO, PET? HAND THEM HERE!

THERE'S JUST TIME.

ME NEEDS A DRINK!

MICHTY! YE'VE SKELT THE MILK A' OWER THE CLEAN SHOES!

THEY'LL A' HAE TAE BE CLEANED AGAIN!

MINE ARE FINE!

ME'S A RICHT TOFF IN MAW'S HAT!

WOOPS!

TRIP!

CRASH!

HURRY!

QUICK!

I'LL NEED TAE IRON A' THAE THINGS AGAIN!

THE TAXI'S HERE!

SOON—

WE'VE JUST MADE IT!

HURRY! THIS WAY, PLEASE! YOU'RE THE LAST GUESTS!

TAXI

ANITHER WEDDING PHOTO FOR THE BIN!

WE'RE LIKE SOMETHING THE CAT DRAGGED IN!

SMILE!

DINNA BLAME ME! I'M TIDY AT LEAST!

KHH.

This "leisure centre's" really grand . . .

. . . an' Maggie Broon is fit an' tanned!

I HAVE TAE LOOK MY BEST FOR THE LEISURE CENTRE! THEY'VE GOT JACUZZIS, SUN-BEDS, EXERCISE BIKES....AND GOOD-LOOKIN' INSTRUCTORS!

I CAN'T AFFORD THE LEISURE CENTRE FEES!

NAE NEED FOR THE LEISURE CENTRE, MAGGIE! IT'S A' HERE!

I EVEN HAVE A WEE SUN LAMP!

THIS IS BRAW! I CAN EVEN WATCH NEIGHBOURS WHILE I'M GETTIN' A TAN **AND** GETTIN' FIT!

PITY ABOUT THE JACUZZI, THOUGH!

JUST GET YOUR SWIMSUIT ON - LEAVE IT A' TAE US!

RIGHT, IN YE GET NOW!

BUT THAT'S JUST OUR AULD TIN BATH!

AH, BUT THE BIKE PUMPS FAIRLY MAK' THE WATER BUBBLE!

HA-HA! IT'S JUST LIKE THE REAL THING!

I FEEL MUCH BETTER AFTER A' THAT. I WONDER HOW DAPHNE GOT ON?

SHE DIDNA!

I FELL ASLEEP ON THE SUN BED, FELL OFF THE EXERCISE BIKE, THE JACUZZI RUINED MY HAIR AND WHAT'S WORSE THE INSTRUCTORS WERE A' WOMEN!

KHH.

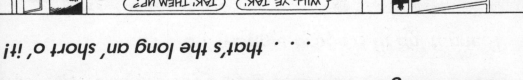

Poor Paw's goin' tae hae a fit . . .

. . . that's the long an' short o' it!

A picnic in the open air?

Only if the weather's fair!

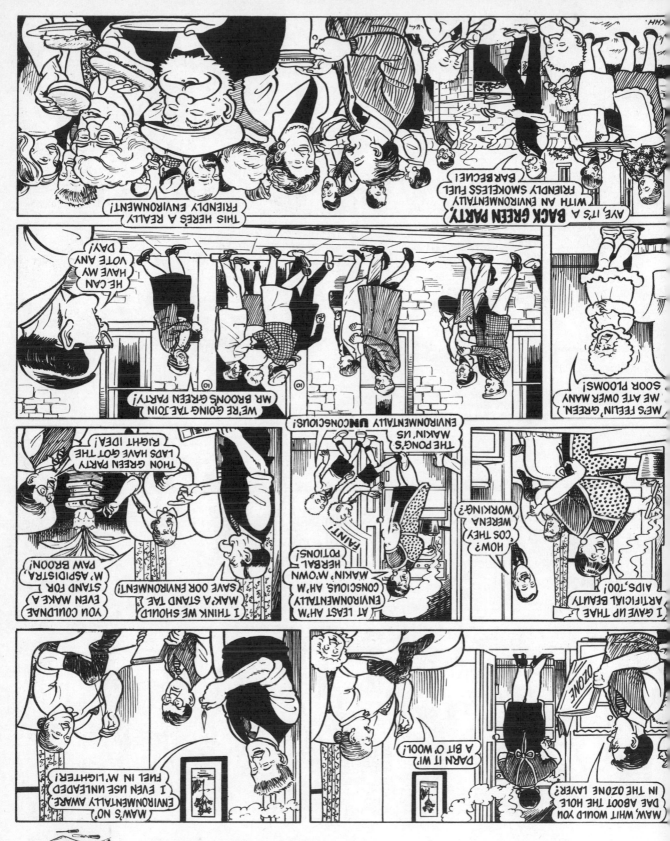

The Broons have cause to wear a frown . . .

. . . here's their 'cousin', Homer Hash-Brown!

But here in part two . . .

. . . Homer's in a stew!

Homer Hash-Brown, an American, who claims to be a distant relative of the Broons, has returned to reclaim an ancient debt!

Read on...

I'LL NEED SOME CASH UP FRONT AND THE REST BY FRIDAY. ANY MORE GRUB, MAW?

DINNA FRET! YOU'LL GET YER CASH, EVEN IF I HAVE TAE WORK MY FINGERS TAE THE BONE!

GUZZLE!

WHAT IS IT YE DO YOURSELF, HOMER?

THAT'S NO' SURPRISING, THE WAY HE'S STUFFIN' HIS FACE!

I'M IN THE FOOD BUSINESS!

... WITH DUNDEE MARMALADE, LYALL'S SYRUP, McTAVISHES JAM ...

... SALT, BUTTER, HONEY AND A TOUCH OF 10 YEAR OLD McCALLUM.

GEE WILLIKERS! HOW DID YOU KNOW THAT?

BROWNS OF KENTUCKY WAFFLES, MADE LIKE GRANDPAPPY USED TO MAKE 'EM ...

'COS IT'S AN' OLD RECIPE DEVISED BY UGGIE BROON 'WAY BACK. HER WAFFLES WON THE GOLD MEDAL AT THE 'MUCHTY FAIR IN 1868.

AN' AUNT UGGIE WAS ON **OOR** SIDE O' THE FAMILY, SO IF YOU'VE STOLEN **OOR** RECIPE COPYRIGHT, IT'S **VERY SERIOUS BUSINESS!**

WELL, AINT THAT SOMETHING?

JUST REMEMBERED. GOTTA CATCH A FLIGHT TO AUSTRALIA— **YESTERDAY!**

WE DINNA! BUT HOMER DISNA KEN THAT, THE AULD KENTUCKY WAFFLER! HA! HA!

I DIDNA KEN WE HAD A GOLD-MEDAL-WINNING AUNTIE UGGIE IN THE FAMILY.

GRANPAW BROON WINS STORY TELLING CONTEST

KHH.

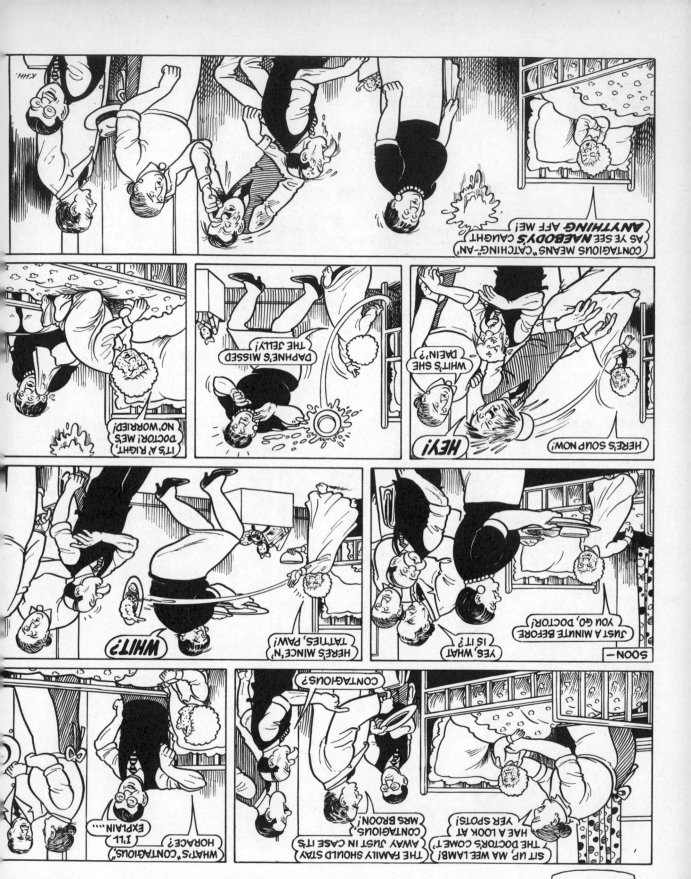

The Bairn's aff tae a fancy dress . . .

. . . but dressed as who? Ye'd never guess!

KEN H. HARRISON

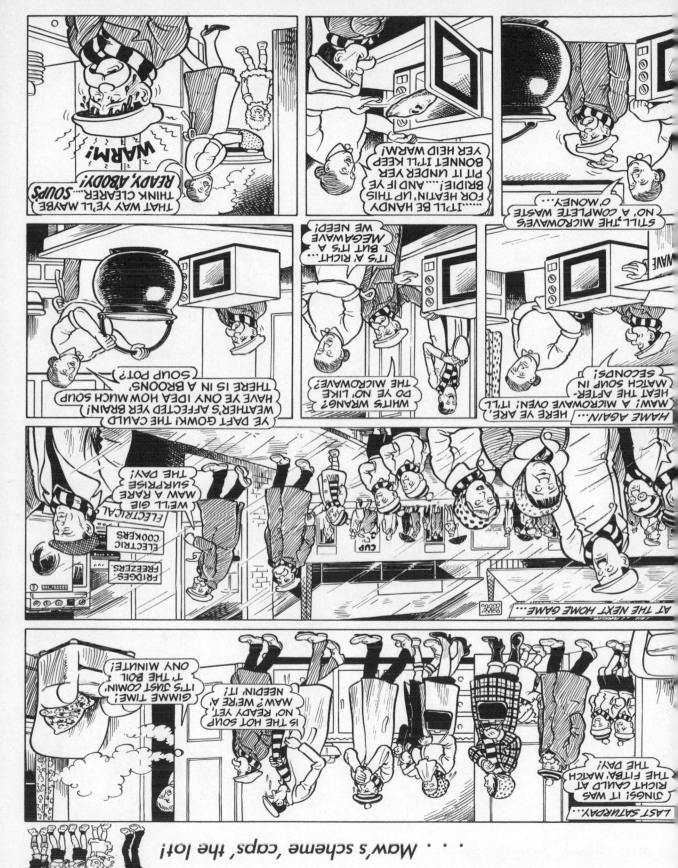

For keepin' things hot . . . . . . Maw's scheme 'caps' the lot!

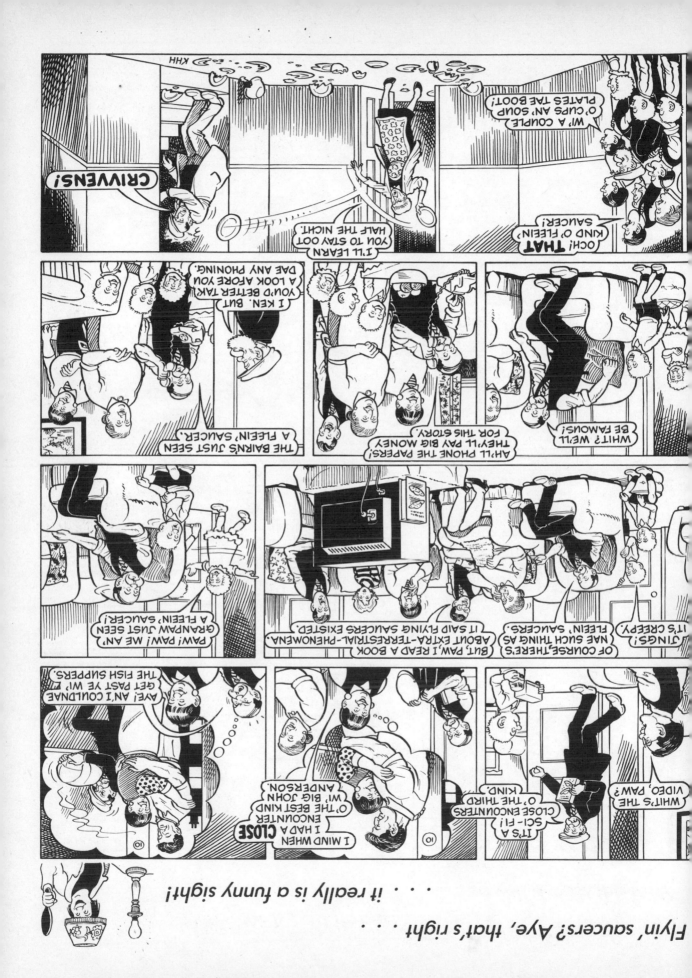

Hen's car is past its best . . . . . . so will it pass the test?

Help ma boab! They're in a tizz!

Does Paw no'ken what day it is?

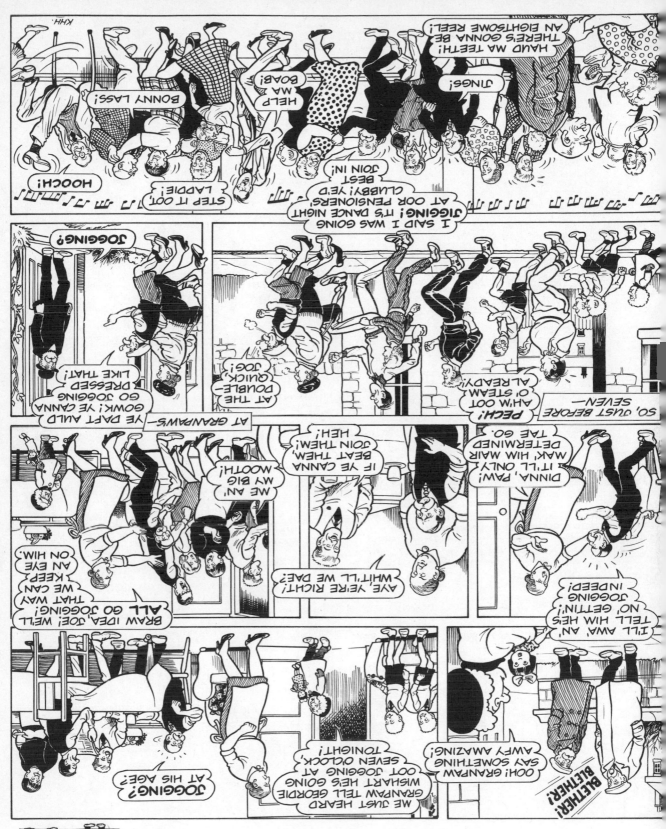

Grampaw has them all agog . . .

. . . when they hear he's off tae jog!

There's just nae slackin' . . .

. . . once Maw gets crackin'!

OCH! THERE'S NO END O' HALF-DONE JOBS IN THIS HOOSE!

THAT'S BECAUSE THE BROONS MENFOLK ARE A BUNCH O' LAZY SCUNNERS.

BUT I KEN A WAY TO GET THIS ROOM PAPERED, RICHT QUICK!

HEN OWES MAGGIE £10.
1980

AH FORGOT A' ABOOT THAT!

JINGS! I DID THAT WHEN I WAS JUST A LADDIE!

HERE'S A DRAWING OF DAPHNE BROON, SHE'S AS ROOND AS HALF A CROON!

HELP MA BOAB! A'BODY WILL KEN WE WERE PLAYING FITBA' IN THE HOOSE!

THE EMBARASSMENT!

2 + 3 = 6
4 + 4 = 44
Sined
Horris

TIME THIS ROOM WAS DECORATED, MAW!

AYE!

VERY SWIFTLY—

A' DONE!

MICHTY ME! HOW ON EARTH DID YE GET THE LADS WORKING, MAW?

OH, THEY JUST HAD A FEW CRACKS TO PAPER OWER!

KHH.

Help ma boab! Whit's a' the fuss?

Maw looks awfy glamorous!

Paw thinks he winna tan —

he's an awfy silly man!

AT THE BUT 'N' BEN—

MY! WHIT A BRAW DAY FOR TOASTING!

HAW! HAW! JUST LOOK AT PAW! WHIT A SIGHT!

YE'LL A' BE SORRY WHEN YE'RE BURNT TAE A CRISP!

I'M AWA' FOR A WALK!

IT **IS** AWFY WARM. I'LL HAE A WEE SUNBATHE.

I DINNA WANT THE FAMILY TAE SEE ME.

STICK ON BAGS O' SUN OIL SO'S I DINNAE GET SUNBURNT. I BROUGHT THIS BOTTLE FRAE THE HOOSE.

MAN, THIS IS BRAW!

ENOUGH FOR ONE DAY. DINNA WANT SUN-STROKE. ONYBODY SEEN PAW?

HERE HE COMES NOO!

HELP! I CANNA MOVE!

YE SILLY AULD GOWK. THAT'S **SUNFLOWER** OIL, FOR COOKING! YE'VE DONE YERSEL' TAE A TURN!

PAW **BROON?** MAIR LIKE WULL **SCARLET!**

KHH.

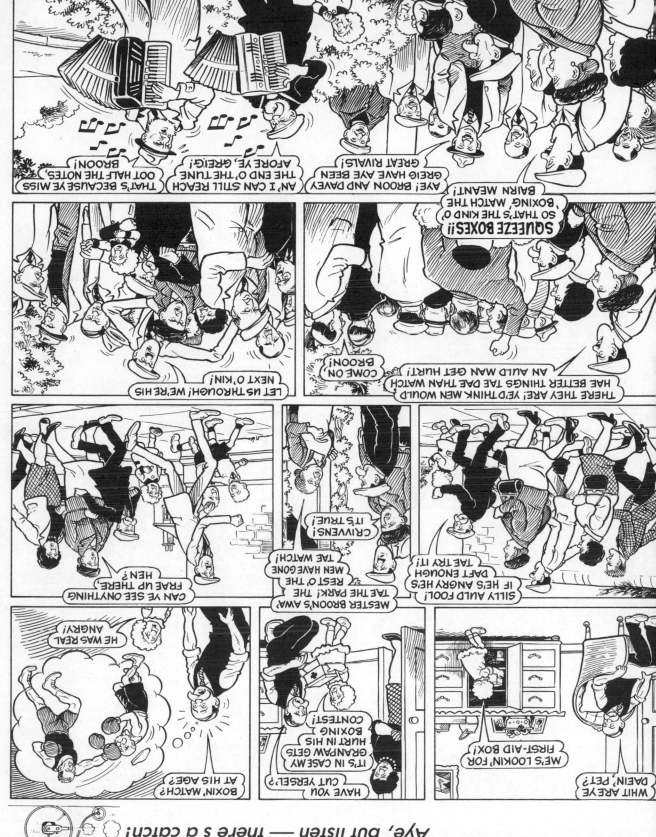

Grandpaw in a boxing match?

Aye, but listen — there's a catch!

Granpaw's in the frame . . .

. . . for this new computer game!

HA-HA! IT'S ONLY GRANPAW GETTIN' IN SOME FLY PRACTICE FOR HIS BOOLS FINAL THE NICHT!

RUMBLE!

EH? IT'S LOVELY OOT HERE!

WE DIDNA KEN IT WAS FANCY DRESS!

LISTEN! THERE'S THE THUNDER AGAIN!

IT SEEMS TAE BE RIGHT INSIDE THE HOOSE!

RUMBLE!

IT'S COMIN' FRAE THE LOBBY!

WHIT DID I TELL YE? SEE! THUNDER!

RUMBLE!

WHIT ARE YOU TWA DAEIN'?

I'M TERRIFIED O' THUNDER AN' LIGHTNING! ME AN' A'!

RUMBLE!

FANCY HAVIN' TAE GO OOT DRESSED LIKE THIS!

WE'LL GET THE WELLIES AFF AT THE DISCO!

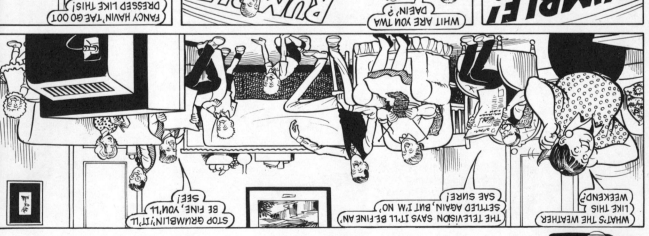

WHAT'S THE WEATHER LIKE THIS WEEKEND?

THE TELEVISION SAYS IT'LL BE FINE AN' SETTLED AGAIN, BUT I'M NO' SAE SURE!

STOP GRUMBLIN'! IT'LL BE FINE, YOU'LL SEE!

KHH.

The rumble o' thunder . . .

. . . oh, what a blunder!

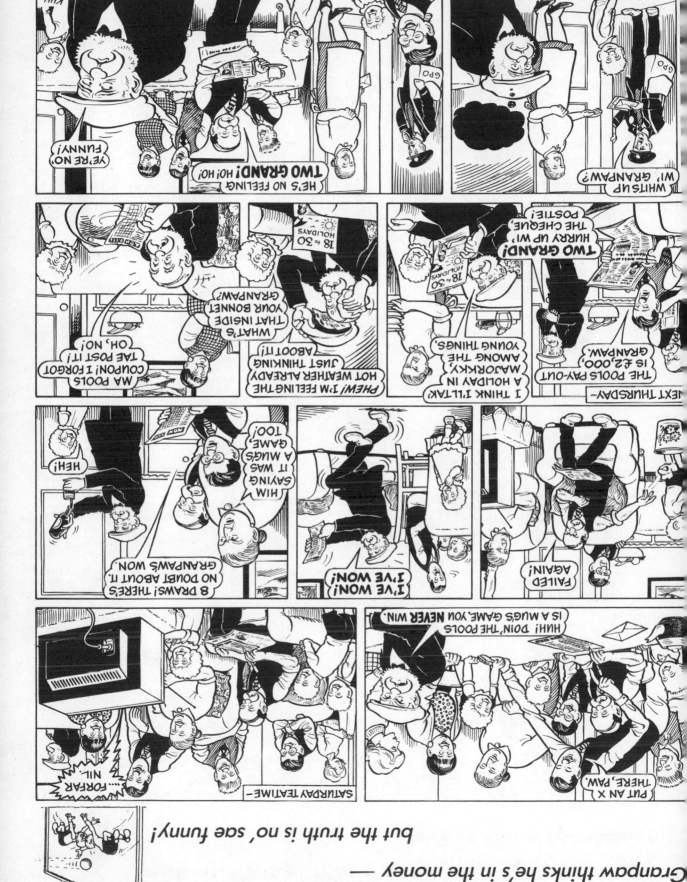

The Bairn knows her onions too!

Jings, it's true! What a to-do!

Is Hen braw wi' paint?   He certainly ain't!

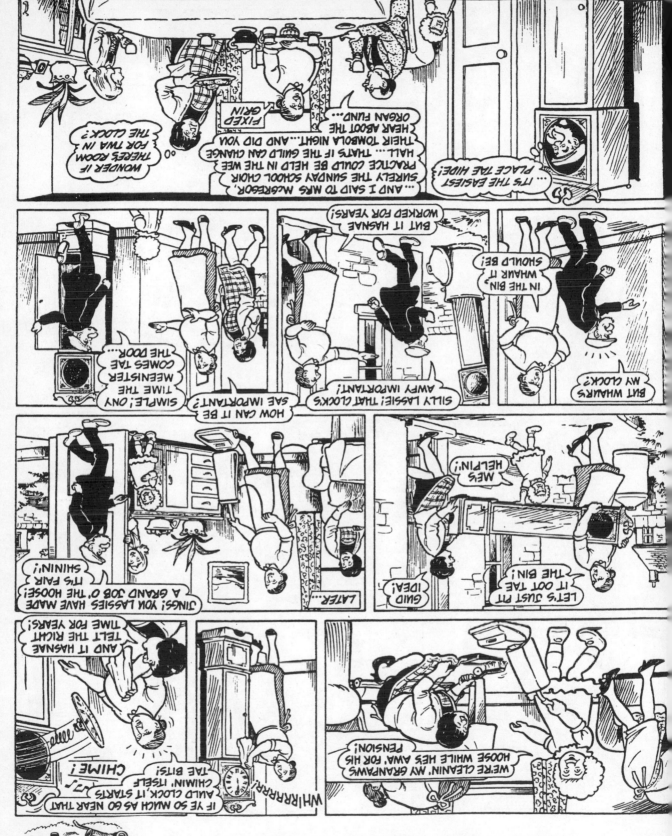

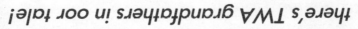

Paw says the Bairn can hae a pet . . .

. . . but trouble's in the offing yet!

ME WANTS A PET!

WE'LL GIE YE A SHOTTIE O' OOR PET IF YE LIKE.

OOR PET **SPIDER** THAT IS!

AYE! DOON HER NECK!

WAAAA!

WALLOP!

THAT'S NO' FUNNY!

HEE! HEE!

STOP TEASING THE BAIRN, LADDIES. C'MERE AND TELL ME ABOOT IT!

WHIT IS IT YE WANT, PET?

AYE, IS IT A MOOSE? OR A GOLDIE, DUG, CAT, BUDGIE EVEN?

ME WANTS SAME PET AS JEANNIE GRAY.

OCH. ANYTHING FOR YOU, MY WEE ANGEL.

BUT SHE'S THE FERMER'S DAUGHTER, PAW.

WHEESHT, MAW! ANYTHING THAT'S GUID ENOUGH FOR THE FARMER'S DAUGHTER IS CERTAINLY GOOD ENOUGH FOR OOR BAIRN! I'M A MAN O' MY WORD! SHE'LL HAE WHIT SHE WANTS!

LATER—

ME JUST GETTIN' A SHOTTIE O' JEANNIE'S PET FOR A WEEK.

MOO!

COWED

YE STUPID MAN!

OCH! I DIDNA KEN....

COO!

HA! HA!

KEN. H. HARRISON.

Paw's story is an awfy bore . . . . . . an' it mak's the others snore!

The family'll hae tae wait . . .

. . . the Bairn's got them in a state!

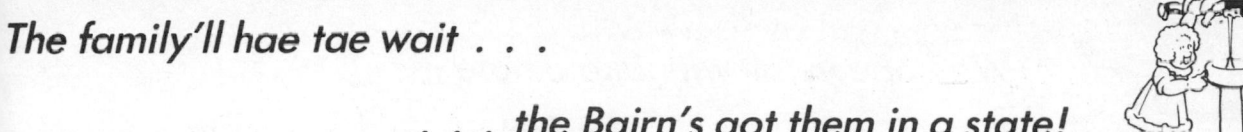

We hope ye all will take a note —

of what can happen in a boat!

What's happenin' the noo?

A soggy barbecue!

Daphne's thinks he's awfy braw . . .

. . . but he's no' sae brave at a'!

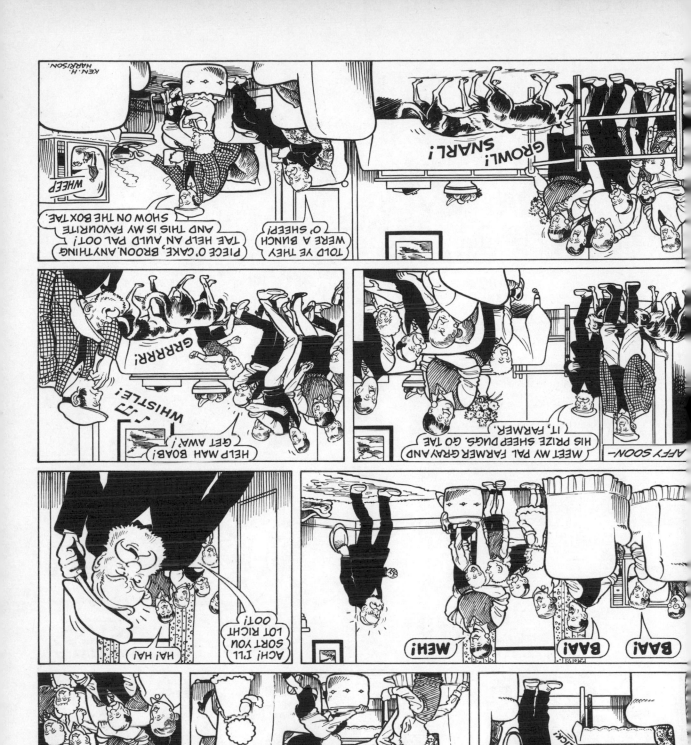

Every one a cheeky pup —
'til Grampaw has them rounded up!

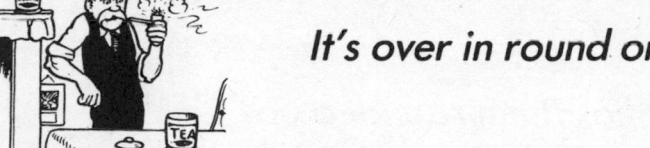

It's over in round one —

before it's really begun!

Maw Broon wants tae get some space . . .

. . . but he's aboot to lose some face!

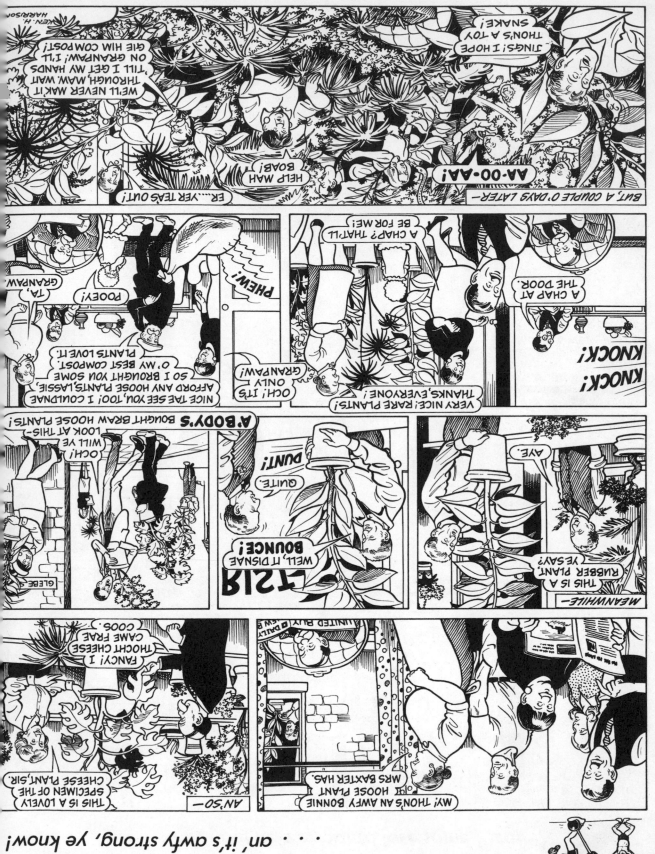

What is Granpaw goin' as?

The Birdman O' Alcatraz?

Maw's health food kick . . . . . . mak's the ither Broons sick!

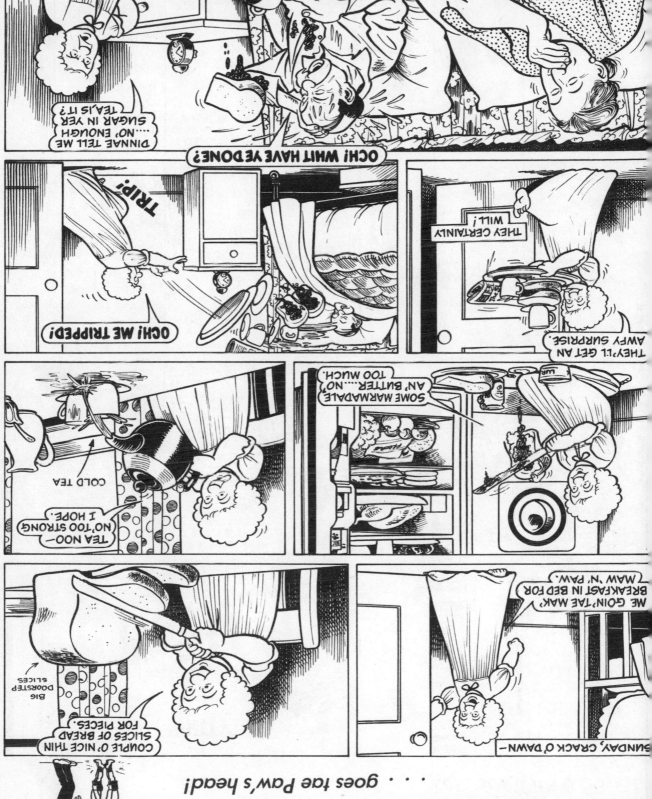

Breakfast in bed . . . . . . goes tae Paw's head!

Has Grandpaw broken a tibia?

Let's see if it's a fib-ia!

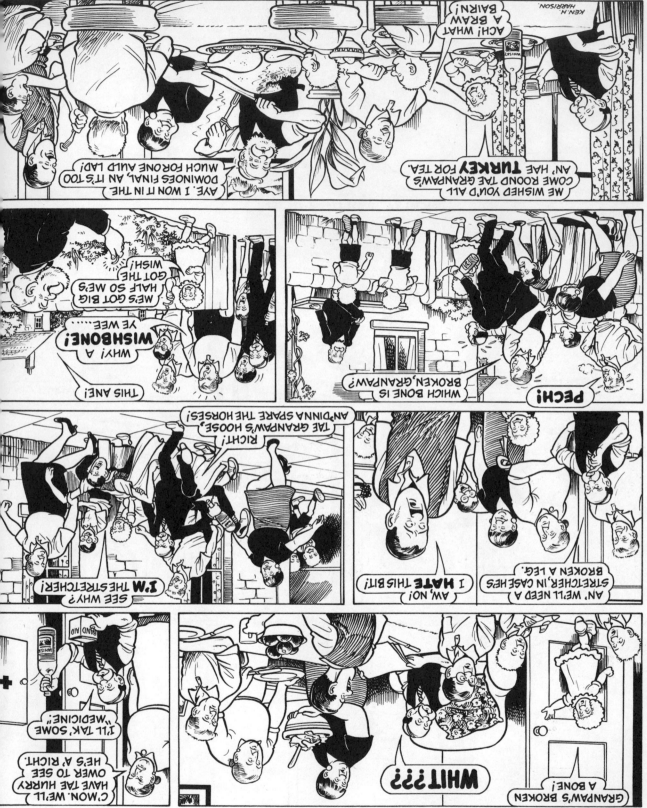

aw's in for a shock . . .

. . . just watchin' the clock!

IT'S AWFY BRAW BUYING THINGS AT THE CARNEGIE SHOPPING MALL.

OCH! YE CANNA BEAT THE AULD CORNER SHOPPIE.

UH-OH! IT'S AWA' TAE BUCKET DOON.

AYE, THON'S THE GREAT ADVANTAGE O' SHOPPIN' IN THE MALL. YE DINNA GET WET INSIDE.

SHUT UP SHOP.

HUMPH!

ME WANT TO SEE BIG CLOCK CHIME.

AWA' WI' YE, BAIRN! WE'RE HERE TAE SHOP.

I'LL TAK' YE, PET! ANYTHING'S BETTER THAN SHOPPING.

BRAW!

I DINNA KEN WHICH ANE'S THE BIGGEST BAIRN.

WHIRR!

ACH! BRAW TIMING. IT'S JUST AWA' TAE CHIME.

I WISH I COULD GET MAH PENNY BACK.

WISHING WELL.

CUCKOO!

HELP MAH BOAB!!

BAH! I MICHT HAE KENT THAT AULD GOWK COULD GET WET *INSIDE* AFTER A'!

HEH!

HA! HA!

OCH! I *WISH* I WISNAE HERE AT ALL!

KEN H. HARRISON

Which hat will it be?

Paw jist cannae see!

If you want tae ken the truth . . .

. . . he's really doon in the mooth!

Will Granpaw clean up . . .

. . . an' win the Bools cup?

WE'RE AFF VISITIN' GRANPAW.

I'M WASHIN' MY BOOLS TAE PRACTISE FOR THE MEN'S OPEN FINAL.

YOU SHOULDNAE BE DOING THAT.

NOT IF YOU'RE IN THE FINAL. WE'LL POLISH YOUR BOOLS.

EH?

WE'D BETTER DO HIS HAIR.

AYE! GOT TAE LOOK YOUR BEST ON FINALS DAY, GRANPAW.

ACH! BUT... GLUB!

MIND AN' GET YER BOOLS RICHT UP TAE THE HEAD.

OCH!

I'LL IRON HIS GUID SUIT.

BEST O' LUCK, GRANPAW.

I DINNA NEED IT!

JINGS! GRANPAW'S FORGOTTEN HIS BOOLS!

WE'LL TAK' THEM TO HIM.

I DINNA UNDERSTAND! WHAUR'S GRANPAW?

YE'LL FIND HIM IN THE KITCHEN, MRS BROON.

FINAL:-
R.T. MITCHELL
V
K.G. GORDON
2³⁰ PM.

GRANPAW! DAEING DISHES!!

OCH! I WAS TRYING TAE TELL YOU, BUT YOU WIDNAE LET ME. BOAB MITCHELL KNOCKED ME OOT IN THE SEMIS, SO I WAS PRACTISING DOING THE WASHING-UP AT THE FINAL!

KEN H. HARRISON.

The message soonds just fine . . .

. . . 'til it's passed richt doon the line!

Has Maw found the perfect cure?
'Cos right now, the Bairn's no' sure!

Twa joiners no' tae be missed . . .

. . . get their drawers in a twist!

YOU SAID YOU WANTED A WEE CHEST O' DRAWERS, MAW, AN' WE SAW THIS NICE ANE IN AULD JOHNSTONE'S ANTIQUE SHOP.

AFFY LOOKING THING!

THIS COULD BE WORTH A FEW BOB, Y'KEN.

AYE. THEY DINNA MAK' STUFF LIKE THIS NOOADAYS. PURE CRAFTSMAN-SHIP.

SLAP!

WOODWORM! GET THAT THING OOT O' MY HOOSE!

CRUMBLE!

MICHTY!

WE'VE BOUGHT A MODERN CHEST O' DRAWERS.

WHIT? IN THAT WEE BOX? YE'RE JOKING!

OH, PAW! IT'S SELF-ASSEMBLY. GET WITH IT!

JINGS! THERE'S GRATITUDE FOR YOU.

MIND AND NO' LOSE THE PLANS.

ACH! WE'LL NO' NEED THEM, WILL WE, LADDIE?

NAW!

NOO, THIS GOES HERE... OR DOES IT?

SO WHERE'S THIS WEE CHEST O' DRAWERS THE LASSIES WERE TELLING ME ABOUT?

MAW! OCH!

IT ONLY TAK'S A BIT O' COMMON SENSE.

WOULD YOU NO' PREFER A FEW NEW SHELVES AND A NICE WEE COFFEE TABLE?

ACH! YON PLANS WERE A' WRANG!

SEEMS TAE BE WHIT I'M GETTING! *SIGH!*

KHH.

A late-nicht test . . .

. . . tae decide wha's best!

KEN H. HARRISON.

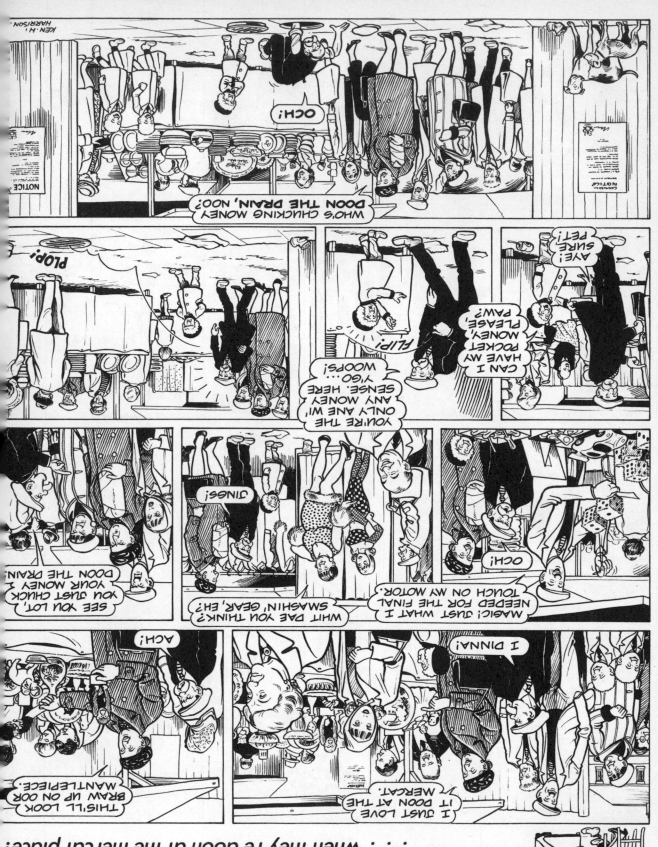

Paw sure doesna think it's 'ace', ... *when they're doon at the mercat place!*

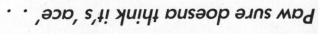

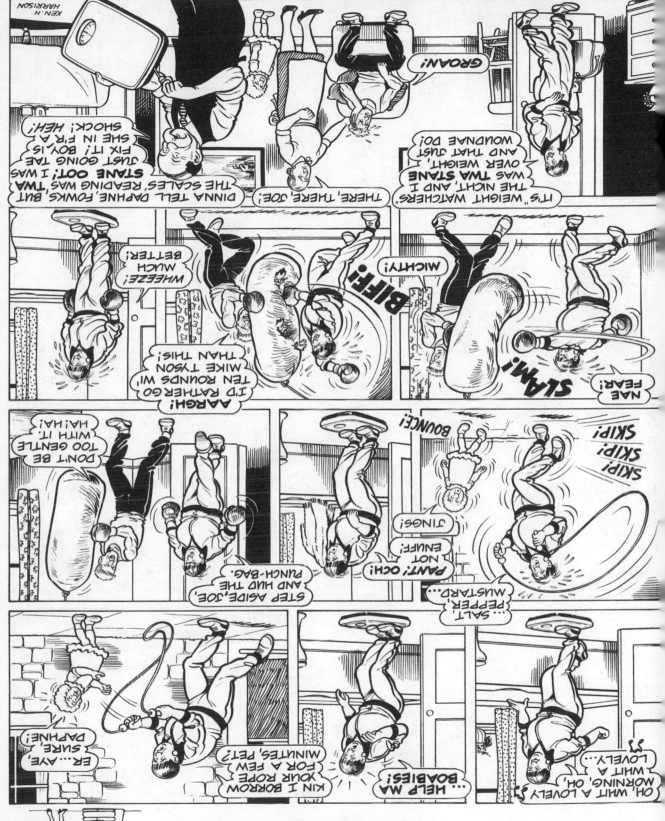

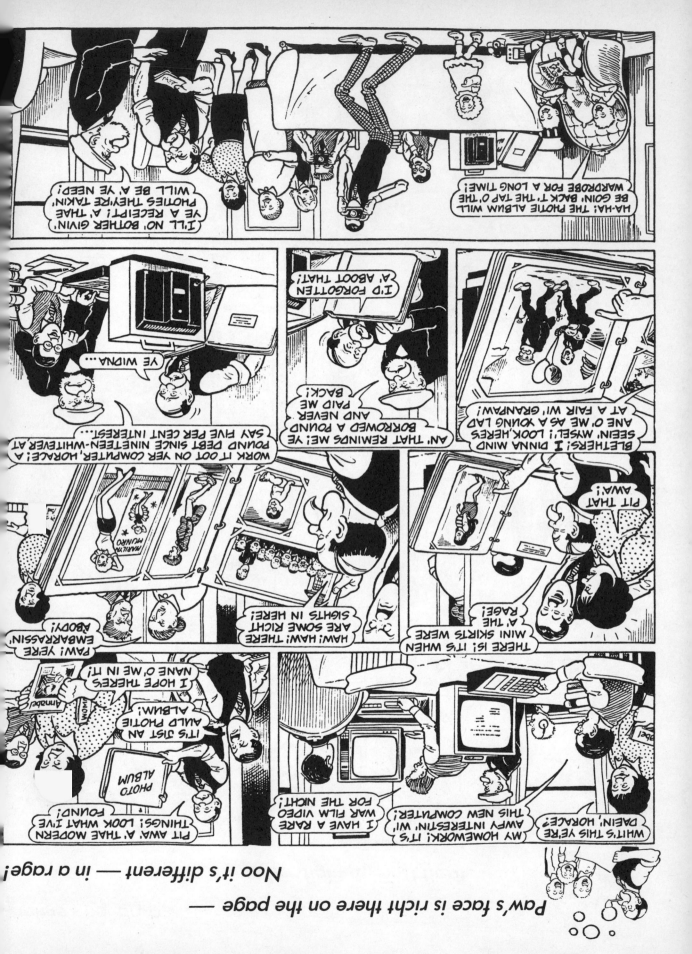

Horace canna tak', ony mair —

he wants tae save the ozone layer!

Paw's face is no' half red —

when breakfast's served in bed!

Paw says he's goin' tae cut the grass —

but does he know what'll come to pass?

Maw and Paw will never guess . . .

. . . what's caused the wee lamb such distress!

SAIR
TUMMY.

WHIT DAE YE
THINK, PAW?

WOULD YE LIKE
A SWEETIE?

SHH! CANNA
BEAR THE NOISE.
TOO SAIR.

POOR WEE
SOUL.

REFUSING SWEETIES? IT
MUST BE SERIOUS. BETTER
FETCH THE
DOCTOR.

THE DOCTOR'S
ON HIS WAY,
PET.

NOW, LET'S BE
HAVIN' A LOOK
AT YE, LASS.

CAN YOU TELL THE
DOCTOR WHERE
IT'S SORE?

JUST ABOOT
THERE, DOCTOR.

IT'S HER DOLLY
THAT'S
NO WEEL!

YE'LL BE BETTER
AFTER SEEING THE
DOCTOR, MINNIE.

AYE! TWA SMARTIES EVERY HOUR
SHOULD DAE THE TRICK. GOOD NICHT,
TAE YE,
BROONS!

KEN. H. HARRISON.

It's just no' like the good, old days —

but Maw and Paw still have their ways . . .

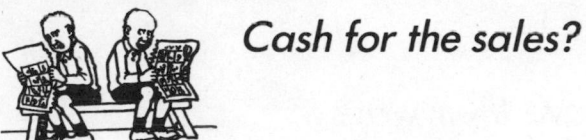

Cash for the sales?

Maw's 'bank' never fails!

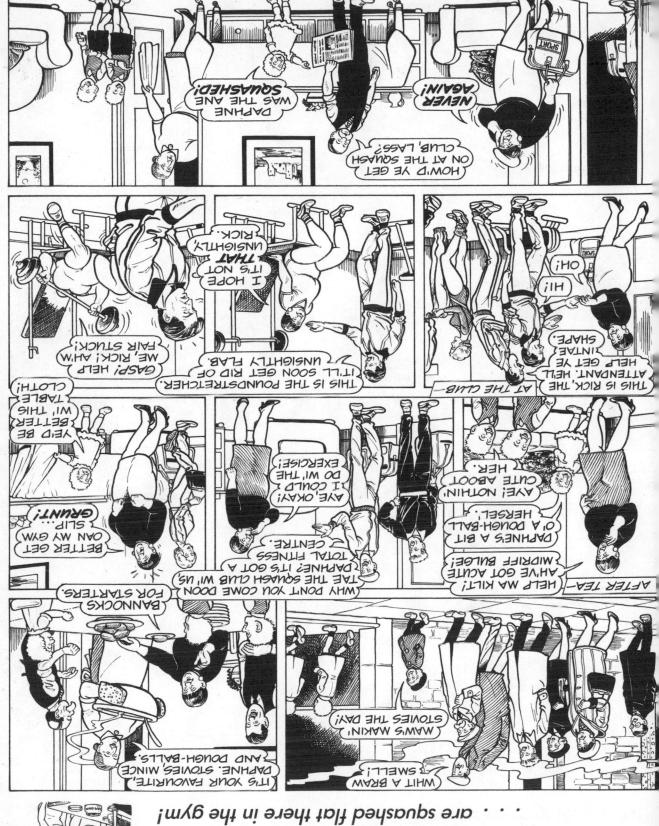

Daph's attempts tae keep in trim . . .

. . . are squashed flat there in the gym!

Could they be sae rotten?

What have they forgotten?

What worries them a' . . . . *is they micht look like Paw!*

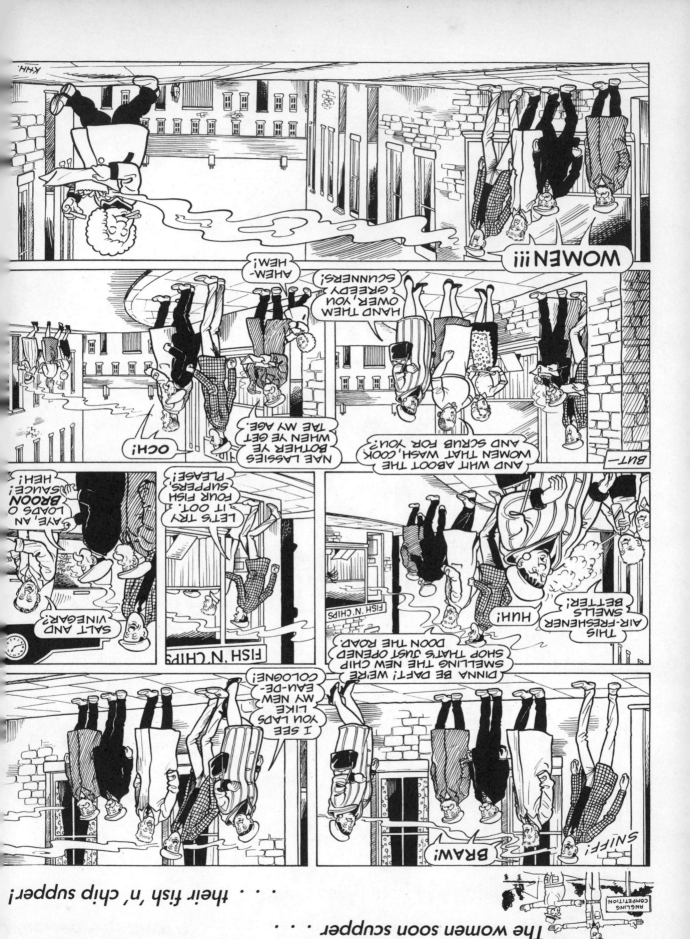

The women soon scupper . . . . . . their fish 'n' chip supper!

Who'd have thocht! They're awfy slick . . . . . . when it comes tae arithmetic!

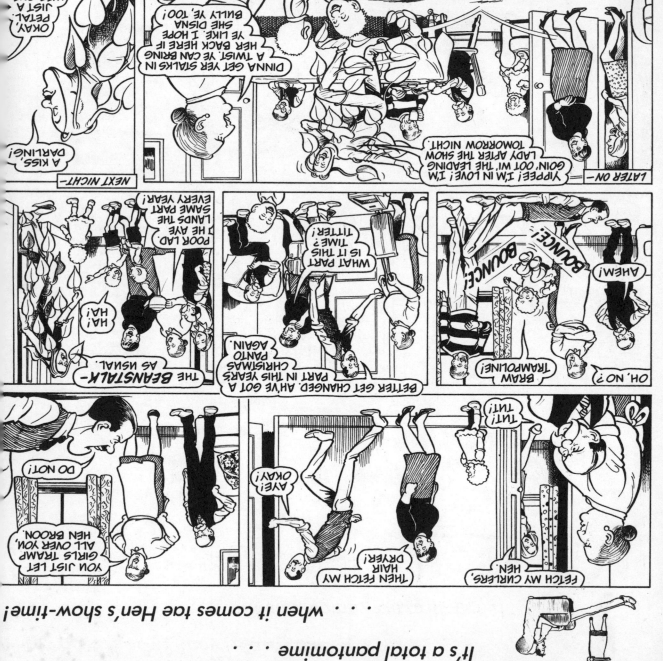

It's a total pantomime . . .

. . . when it comes tae Hen's show-time!

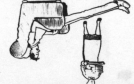